在纪念辛亥革命 110 周年大会上的讲话

（2021 年 10 月 9 日）

习　近　平

人 民 出 版 社

在纪念辛亥革命110周年大会上的讲话

（2021年10月9日）

习　近　平

同志们，朋友们：

110年前，以孙中山先生为代表的革命党人发动了震惊世界的辛亥革命，推翻了清朝政府，结束了在中国延续几千年的君主专制制度，近代以来中国发生的深刻社会变革由此拉开了序幕。这是中国人民和中国先进分子为实现民族独立、人民解放进行的一次伟大而艰辛探索。

今年是辛亥革命110周年，是中国共产党成立100周年，中国人民正意气风发向着全面建成社会主义现代化强国的第二个百年奋斗目标迈进。在这个重要时刻，我们在这里隆重集会，缅怀孙中山先生等革命先驱的历史功勋，就是要学习和弘扬他们为振兴中华而矢志不渝的崇高精神，激励和团结海内外全体中华儿女为实现中华民族伟大复兴而共同奋斗。

同志们、朋友们！

辛亥革命的发生，有着深刻的社会历史背景，是近代以来中国社会矛盾激化和中国人民顽强斗争的必然结果。中华民族是世界上古老而伟大的民族，有着5000多年源远流长的文明历史，为人类文明进步作出了不可磨灭的贡献。1840年鸦片战争以后，西方列强在中华大地上恣意妄为，封建统治者孱弱无能，中国逐步成为半殖民地半封建社会，国家蒙辱、人民蒙难、文明蒙尘，中国人民和中华民族遭受了前所未有的劫难。英雄的中国人民始终没有屈服，在救亡图存的道路上一次次抗争、一次次求索，展现了不畏强暴、自强不息的顽强意志。

从那时起，实现中华民族伟大复兴就成为中华民族最伟大的梦想。

孙中山先生是伟大的民族英雄、伟大的爱国主义者、中国民主革命的伟大先驱。孙中山先生大声疾呼“亟拯斯民于水火,切扶大厦之将倾”,高扬反对封建专制统治的斗争旗帜,提出民族、民权、民生的三民主义政治纲领,率先发出“振兴中华”的呐喊。在孙中山先生领导和影响下,大批革命党人和无数爱国志士集聚在振兴中华旗帜之下,广泛传播革命思想,积极兴起进步浪潮,连续发动武装起义,推动了革命大势的形成。

1911 年 10 月 10 日,武昌城头枪声一响,拉开了中国完全意义上的近代民族民主革命的序幕。辛亥革命极大促进了中华民族的思想解放,传播了民主共和的理念,打开了中国进步潮流的闸门,撼动了反动统治秩序的根基,在中华大地上建立起亚洲第一个共和制国家,以巨大的震撼力和深刻的影响力推动了中国社会变革,为实现中华民族伟大复兴探索了道路。

孙中山先生和辛亥革命先驱为中华民族建立的

历史功绩彪炳千秋！在辛亥革命中英勇奋斗和壮烈牺牲的志士们名垂青史！辛亥革命永远是中华民族伟大复兴征程上一座巍然屹立的里程碑！

同志们、朋友们！

历史发展总是螺旋式上升、波浪式前进的。由于历史进程和社会条件的制约，由于没有找到解决中国前途命运问题的正确道路和领导力量，辛亥革命没有改变旧中国半殖民地半封建的社会性质和中国人民的悲惨境遇，没有完成实现民族独立、人民解放的历史任务。辛亥革命之后，在这场革命中接受洗礼的中国人民和中国先进分子继续探寻救国救民道路。十月革命一声炮响，给中国送来了马克思列宁主义，促进了中国人民的伟大觉醒，在马克思列宁主义同中国工人运动的紧密结合中，中国共产党应运而生。中国共产党一经诞生，就把为中国人民谋幸福、为中华民族谋复兴确立为自己的初心和使命，点亮了实现中华民族伟大复兴的灯塔。

中国共产党人是孙中山先生革命事业最坚定的支持者、最忠诚的合作者、最忠实的继承者。中国共产党在成立之初就提出反帝反封建的民主革命纲领，并同孙中山先生领导的中国国民党携手合作，帮助国民党完成改组，建立最广泛的革命统一战线，掀起轰轰烈烈的大革命，给北洋军阀反动统治以沉重打击。

孙中山先生逝世后，中国共产党人继承他的遗愿，同一切忠于他的事业的人们继续奋斗，不断实现和发展了孙中山先生和辛亥革命先驱的伟大抱负。中国共产党团结带领中国人民浴血奋战、百折不挠，打败国内外一切反动势力，取得了新民主主义革命伟大胜利，建立了人民当家作主的中华人民共和国，完成了民族独立、人民解放的历史任务，开启了中华民族发展进步的历史新纪元。

新中国成立后，中国共产党团结带领中国人民，自力更生、发愤图强，创造了社会主义革命和建设的伟大成就；解放思想、锐意进取，创造了改革开放和社会主义现代化建设的伟大成就；自信自强、守正创新，统揽伟大斗争、伟大工程、伟大事业、伟大梦想，创造了新时代坚持和发展中国特色社会主义的伟大成就。

抚今追昔，孙中山先生振兴中华的深切夙愿，辛亥革命先驱对中华民族发展的美好憧憬，近代以来中国人民梦寐以求并为之奋斗的伟大梦想已经或正在成为现实，中华民族迎来了从站起来、富起来到强起来的伟大飞跃，中华民族伟大复兴进入了不可逆转的历史进程！

同志们、朋友们！

孙中山先生在《建国方略》中说："吾心信其可行，则移山填海之难，终有成功之日"。今天，经过长期奋斗，实现中华民族伟大复兴具备了更为完善的制度保证、更为坚实的物质基础、更为主动的精神力量。前景光明辽阔，但前路不会平坦。我们要以史为鉴、开创未来，在全面建设社会主义现代化国家新征程上继续担当历史使命，掌握历史主动，不断把中华民族伟大复兴的历史伟业推向前进。

——辛亥革命110年来的历史启示我们，实现中华民族伟大复兴，必须有领导中国人民前进的坚强力量，这个坚强力量就是中国共产党。中国共产党领导是历史的选择、人民的选择，是党和国家的根本所在、命脉所在，是全国各族人民的利益所系、命运所系。没有中国共产党，就没有新中国，就没有中华民族伟大复兴。

新的征程上，我们必须坚持和加强党的全面领导，充分发挥党总揽全局、协调各方的领导核心作用，提高党科学执政、民主执政、依法执政水平。要弘扬伟大建党精神，推进党的建设新的伟大工程，增强自我净化、自我完善、自我革新、自我提高能力，确保中国共产党始终成为中国人民和中华民族最可靠的主心骨。

——辛亥革命 110 年来的历史启示我们，实现中华民族伟大复兴，道路是最根本的问题。中国特色社会主义是实现中华民族伟大复兴的唯一正确道路。这条道路符合中国实际、反映中国人民意愿、适应时代发展要求，不仅走得对、走得通，而且也一定能够走得稳、走得好。

新的征程上，我们必须坚持和发展中国特色社会主义不动摇，继续推进马克思主义中国化时代化，坚定志不改、道不变的决心，牢牢把中国发展进步的命运掌握在自己手中。我们要统筹推进“五位一体”总体布局、协调推进“四个全面”战略布局，全面深化改革和扩大开放，推进国家治理体系和治理能力现代化，不断满足人民过上美好生活的新期待，不断推进全体人民共同富裕。

——辛亥革命110年来的历史启示我们，实现中华民族伟大复兴，必须依靠中国人民自己的英勇奋斗。历史发展从来不是风平浪静的，而是充满曲折和艰辛的。正如毛泽东同志所说的：“我们的先人以不屈不挠的斗争反对内外压迫者，从来没有停止过”，“中国人民的不屈不挠的努力必将稳步地达到自己的目的”。

新的征程上，我们必须统筹中华民族伟大复兴战略全局和世界百年未有之大变局，抓住历史机遇，增强忧患意识、始终居安思危，保持革命精神和革命斗志，勇于进行具有许多新的历史特点的伟大斗争，以敢于斗争、善于斗争的意志品质，坚决战胜任何有可能阻碍中华民族复兴进程的重大风险挑战，坚决维护国家主权、安全、发展利益。

——辛亥革命110年来的历史启示我们，实现中华民族伟大复兴，中国人民和中华民族必须同舟共济，依靠团结战胜前进道路上一切风险挑战。孙中山先生说过："要恢复民族的地位，便先要恢复民族的精神。"近代以来，中国人民和中华民族弘扬伟大爱国主义精神，心聚在了一起、血流到了一起，共同书写了抵御外来侵略、推翻反动统治、建设人民国家、推进改革开放的英雄史诗。统一战线始终是中国共产党凝聚人心、汇聚力量的重要法宝。

新的征程上，我们必须大力弘扬爱国主义精神，树立高度的民族自尊心和民族自信心，铸牢中华民族共同体意识，紧紧依靠全体中华儿女共同奋斗，坚持大团结大联合，不断巩固和发展最广泛的爱国统一战线，广泛凝聚中华民族一切智慧和力量，形成海内外全体中华儿女万众一心、共襄民族复兴伟业的生动局面。

——辛亥革命110年来的历史启示我们，实现中华民族伟大复兴，不仅需要安定团结的国内环境，而且需要和平稳定的国际环境。孙中山先生曾经说过："中国如果强盛起来，我们不但是要恢复民族的地位，还要对于世界负一个大责任。"中华民族的血液中没有侵略他人、称王称霸的基因，中国人民不仅希望自己发展得好，也希望各国人民都能拥有幸福安宁的生活。

新的征程上，我们必须始终高举和平、发展、合作、共赢旗帜，推动构建人类命运共同体，推动完善全球治理体系，弘扬和平、发展、公平、正义、民主、自由的全人类共同价值，加强同世界各国人民的团结，共同反对霸权主义和强权政治，做世界和平的建设者、全球发展的贡献者、国际秩序的维护者，努力为人类作出新的更大贡献。

同志们、朋友们！

孙中山先生说过："'统一'是中国全体国民的希望。能够统一，全国人民便享福；不能统一，便要受害。"台湾问题因民族弱乱而产生，必将随着民族复兴而解决。这是中华民族历史演进大势所决定的，更是全体中华儿女的共同意志，正像孙中山先生所说:“世界潮流,浩浩荡荡,顺之则昌,逆之则亡”。

以和平方式实现祖国统一,最符合包括台湾同胞在内的中华民族整体利益。我们坚持“和平统一、一国两制”的基本方针,坚持一个中国原则和“九二共识”,推动两岸关系和平发展。两岸同胞都要站在历史正确的一边,共同创造祖国完全统一、民族伟大复兴的光荣伟业。

中华民族具有反对分裂、维护统一的光荣传统。“台独”分裂是祖国统一的最大障碍,是民族复兴的严重隐患。凡是数典忘祖、背叛祖国、分裂国家的人,从来没有好下场,必将遭到人民的唾弃和历史的审判!台湾问题纯属中国内政,不容任何外来干涉。任何人都不要低估中国人民捍卫国家主权和领土完整的坚强决心、坚定意志、强大能力!祖国完全统一的历史任务一定要实现,也一定能够实现!

同志们、朋友们!

经过近代以来的长期艰苦奋斗,中国人民创造了令世界刮目相看的伟大成就,迎来了民族复兴的光明前景。实现中华民族伟大复兴是全体中华儿女的共同光荣,也是全体中华儿女的共同使命。孙中山先生说:“惟愿诸君将振兴中国之责任,置之于自身之肩上。”我呼吁,海内外全体中华儿女更加紧密地团结起来,发扬孙中山先生等辛亥革命先驱的伟大精神,携手向着中华民族伟大复兴的目标继续奋勇前进!

图书在版编目(CIP)数据

在纪念辛亥革命110周年大会上的讲话/习近平 著. —北京：人民出版社,2021.10

ISBN 978 – 7 – 01 – 023863 – 0

Ⅰ.①在… Ⅱ.①习… Ⅲ.①习近平-讲话②辛亥革命-学习参考资料 Ⅳ.①D2 – 0②K257.06

中国版本图书馆CIP数据核字(2021)第203727号

(RMC – ZJDXI – 115 – 20211009)

在纪念辛亥革命110周年大会上的讲话

ZAI JINIAN XINHAI GEMING 110 ZHOUNIAN DAHUI SHANG DE JIANGHUA

(2021年10月9日)

习 近 平

人民出版社 出版发行

(100706 北京市东城区隆福寺街99号)

北京新华印刷有限公司印刷 新华书店经销

2021年10月第1版 2021年10月北京第1次印刷

开本:880毫米×1230毫米 1/32 印张:0.5

字数:6千字

ISBN 978 – 7 – 01 – 023863 – 0 定价:2.00元

邮购地址 100706 北京市东城区隆福寺街99号

人民东方图书销售中心 电话 (010)65250042 65289539